▼ Les Histoires du Père Castor ▼

Qu'elles soient nées dans l'esprit fécond d'un auteur ou venues du fond des âges et de pays lointains, les histoires transmettent une culture, une tradition, elles parlent de nous. Comprendre, accepter les autres, mieux se connaître, se laisser porter par la magie des mots et des images : c'est tout cela que les Histoires du Père Castor offrent.

Depuis 1931, le Père Castor propose de merveilleuses histoires illustrées, et crée les classiques de la littérature pour enfants, d'hier et d'aujourd'hui. Nous perpétuons cette tradition avec les talents d'auteurs de mots et d'images pour le plaisir toujours renouvelé du partage de la lecture...

La grande
panthère noire

Dépôt légal : mars 2018
ISBN : 978-2-0814-2737-2
Imprimé en République Tchèque par PB Tisk – 01-2018
Éditions Flammarion (L.01EJDN001501.N001) – 87, quai Panhard-et-Levassor, 75647 Paris Cedex 13
Loi n° 49-956 du 16 juillet 1949 sur les publications destinées à la jeunesse

La grande panthère noire

Texte de Paul François
Images de Lucile Butel

PÈRE CASTOR

La Grande Panthère Noire a une faim terrible.
Elle sort de la jungle pour chasser.

Elle rencontre un lapin :

elle le mange.

Elle rencontre un petit cochon :

elle le mange.

Elle rencontre une vieille chèvre :

elle la mange.

Elle rencontre une grande vache :

elle la mange.

Alors là, ça ne va plus !

Les braves villageois ne sont pas contents.
(Ce sont des hindous de l'Inde.)
Ils prennent leurs fusils
et ils partent à la recherche
de la Grande Panthère Noire,
en entonnant leur chant de guerre
pour se donner du courage.

Les jeunes gars du village marchent devant.

Le vieux chef marche derrière.

Il découvre bientôt la piste de la Panthère
en suivant les traces
de ses grosses pattes noires sur le sable.

Le vieux chef a épaulé son fusil…
Pan-Pan !
Il a tiré au hasard.
Manquée la Panthère Noire !

Mais où est-elle donc ?

Les jeunes gars du village se retournent au bruit,
et que voient-ils juste derrière le vieux chef ?
La Grande Panthère Noire
qui renifle et qui fait « Miam Miam »
en ouvrant une gueule comme ça.

Alors le plus brave des chasseurs
se sauve à toutes jambes
et les autres le suivent… en tirant
des coups de fusil à tort et à travers.

La Grande Panthère Noire,
qui n'aime pas beaucoup le bruit du fusil,
se sauve aussi…

Les braves villageois ne vont pas bien loin,
car ils ont très envie de la belle fourrure noire
de la Grande Panthère Noire.
Ils font un feu et se reposent avant de repartir.

Et puis la chasse continue.

La Grande Panthère Noire fait le tour
d'un petit bois de figuiers banians
pour surprendre les braves chasseurs,
mais les braves chasseurs courent derrière elle.

Quand les chasseurs sont d'un côté du bois,
la Grande Panthère Noire… est de l'autre côté !
Si bien qu'ils tournent autour du petit bois de figuiers banians
un jour, une nuit, une semaine, des mois…

Tout de même, au bout d'un an,
la Grande Panthère Noire se dit :
« Il faut en finir,
j'ai maigri de 100 livres
à force de tourner en rond
sans rien manger ! Si ça continue,
les chasseurs auront ma peau
sans tirer un coup de fusil. »

Alors, au trot, la voilà partie tout droit vers le Nord !

Les braves chasseurs courent toujours derrière elle,
en suivant les traces de ses grosses pattes noires.

La Grande Panthère Noire franchit l'Himalaya, le Tibet,
la Mongolie, la Muraille de Chine et la Sibérie.

Et les braves chasseurs franchissent, eux aussi, l'Himalaya,
le Tibet, la Mongolie, la Muraille de Chine et la Sibérie.

Enfin, la Grande Panthère Noire
arrive sur une banquise.

Elle rencontre

un ours blanc

un phoque gris

un hareng

elle les mange.

22

Les braves chasseurs la suivent toujours.

Mais voici que la neige se met à tomber à gros flocons.

La Grande Panthère Noire devient toute blanche,

et comme elle est
toute blanche
sur la neige blanche,

les chasseurs
ne peuvent plus la voir :

Pfft… plus de Panthère !

Les pauvres chasseurs
sont bien étonnés ;
tête basse,
et très tristes,

ils rentrent chez eux…

En arrivant, ils apprennent que la Grande Panthère Noire
est déjà revenue et qu'elle a mangé :
un lapin, un petit cochon, une vieille chèvre…

Alors là, ça ne va plus !
Mais alors plus du tout, du tout,
du tout !

Les villageois ne sont pas contents.
Ils prennent leurs fusils
et ils partent à la recherche

de la Grande Panthère Noire
en entonnant leur chant de guerre
pour se donner du courage.

Vous avez aimé cette histoire?
Découvrez également...

▼ Dans la même collection ▼

nº 11 | La Plus Mignonne
des Petites Souris

nº 14 | Le Petit Bonhomme
de pain d'épice

nº 16 | Baba Yaga

nº 32 | Tom Pouce

nº 48 | Un bon tour de Renart

nº 51 | Hansel et Gretel

nº 54 | La Chèvre
de Monsieur Seguin

nº 58 | L'Ours et les trolls
de la montagne

nº 61 | Le petit loup
qui se prenait pour un grand

▼ Dans la même collection ▼

n° 65 | Épaminondas

n° 79 | Bravo Tortue

n° 81 | Le Démon de la vague

n° 94 | Raiponce

n° 97 | La Plume du caneton

n° 104 | Le Joueur de flûte de Hamelin

n° 105 | Histoire de la lettre...

n° 106 | Un gâteau 100 fois bon

n° 118 | Petite Poule noire comme nuit